크리스마스칸타타

베들레헴의 별

Joseph Rheinberger 작곡

홍정표 역

KB190773

호산나음악사
"Since 1971" Beyond Praise!

머리말

라인 베르거(Joseph Gabriel Rheinberger 1839 - 1901 Liechtenstein 독)는 어려서 부터 음악적 재능이 뛰어나 일곱살 때 교회의 반주자로, 여덟살 때에는 미사곡을 작곡하여 연주가 될 만큼 일찍이 음악활동을 시작하였다. 전 생애를 걸쳐 교수로, 오르가니스트로, 작곡가로, 지휘자로, 교회음악가로, 여러 방면에서 활동한바 Bavaria에서는 궁정 오르가니스트로, 뮌헨음악원에서는 교수로, 음악원의 해산 후에는 성 미샤엘 교회의 오르가니스트로, 뮌헨 합창협회의 지휘자로, 빌로를 중심으로 음악원이 다시 재개되자 교수로, 후에는 궁정 악장으로, 마지막에는 베를린 학사원 회원으로 추대 받는 등 실로 다양한 형태의 삶을 살았다.

그의 작곡 풍은 전형적인 독일 보수적인 면을 담고 있으며 슈만, 멘델스존, 브라암스의 대를 잇는 전통적인 스타일이며 작품들에서 나타나는 작곡 기법에서는 대위법의 대가다운 면모를 보이고 있다. 그에 생에 있어서 처음과 끝의 작품이 미사곡인 것을 볼 때 그의 곡들 중에 교회음악의 비중이 얼마나 중요한지를 짐작 할 수 있다. 200여 곡의 작품 중에는 오페라, 극음악, 관현악, 합창, 실내악, 오르간, 피아노 곡들이 있으며 이 곡들은 당대의 보수적인 작곡가인 브라암스, 래거와 같은 자들에게 찬사를 받은 곡들이지만 오늘날에는 그다지 많이 연주되는 곡들이 아니다. 그러나 그중에서 오르간 곡들은 낭만파 음악의 특징이 잘 드러난 다양한 색채감과 효과적인 화성 사용과 극적인 표현과 대위법적인 요소가 잘 어우러져 현재 오르가니스트들의 연주회에 많이 연주되고 있다. 그의 음악적인 위치는 라흐너(F. Lachner 18031890)와 슈트라우스(R. Strauss 1864 - 1905) 의 중간세대를 대표하고 있다.

칸타타 '베를레헴의 별'은 그의 작품 중 세계적으로 널리 알려진 크리스마스 합창곡으로 라인베르거의 아내인 프란치스카가 작시한 것으로 이 곡이 마무리 될 즈음에는 프란치스카가 세상을 뜨는 고통속에서 완성된 곡이다. 전체가 아홉 곡으로 구성된 이 곡은 형식에 있어서 조화를 이뤄 합창과 독창, 남성과 여성의 대비, 우아한 선율의 흐름, 극적인 장면의 특출한 체리, 관현악 반주의 음악적 처리와 합창과의 조화 등 구석구석 작곡자의 애정을 볼 수 있는 곡이다. 예수 그리스도의 오심을 간절히 바라는 부분에서 부터 동방박사의 경배, 마리아의 자장가와 마지막 구원의 성취를 이루기까지를 포함하고 있다. 이 곡은 온 인류의 소망과 구원의 내용이 가사 안에 확실히 담겨 있으며 작곡자 자신의 평소의 간직하고 있었던 것들이 이 작품에 남겨져 있는데 이것은 그가 한말에 잘 나타나 있다. "적어도 이 작품만은 이것을 담아보고 싶습니다. 우리가 항상 원하는 행복, 이것은 우리에게서 자주 멀어지곤 합니다. 그러나 이 행복에 대한 동경 때문에 음악이 존재하는 이유입니다. 나는 이것을 담고 싶습니다".

- 역자 -

Contents

목차

기 다 림

Erwartung

Jos. Rheinberger op. 164

고 요한밤 — 빛 난 별들이 기 다

고 요한밤 빛 난 별들이 기 다

고 요한 밤 빛 난 별들이 기 다

고 요한 밤 빛 난 별들이 기 다

리 도 다 저하늘 —의 기 쁜 — 소 — 식 — 을

리 도 다 저하늘 의 기 쁜 — 소 — 식 을

리 — 도 — 다 저하늘 —의 기 쁜 소 — 식 을

리 도 다 저하늘 의 기 쁜 소 — 식 을

6

신 비 한 밤 종

신 비 한 밤 종

신 비 한 밤 종

신 비 한 밤

신 비 한 밤 종

려 나무가 지흔 들 거리고 온 세 상은 모 두

려 나무가 지흔 들 거리고 온 세 상은 모 두

려 나무가 지흔 들거리고 온 세 상은 모 두

려 나무가 지흔 들 거리고 온 세 상은 모 두

들-바람고이불어 온 다 산 들-바람고이불어

들 바람고이불어 온 다 산 들 바람고이불어

들 바람고이불어 온 다 산 들 바람고이불어

들 바람고이불어 온 다 산 들 바람고이불어

온 다 아름다운 꽃 들은모 두 향

온 다 아름다운 꽃 들은모 두 향

온 다 아름다운 꽃 들은모 두 향

온 다 아름다운 꽃 들은모 두 향

기 날리고 저 별 감 싸 준 다

기 날리고저 별 – 감 싸 준 다

기 날리고 저 별 – 감 싸 준 다

기 날리고 저 별 감 싸 준 다

저 – 멀 리 서 – 귀 한 빛 이 밝 아

저 – 멀 리 서 – 귀 한 빛 이 밝 아

저 멀 리 서 귀 한 빛 이 밝 아

저 멀 리 서 귀 한 빛 이 밝 아

10

소　　　식

소　　　식

소 —　 — 식

소

모 든 땅 들 아

하 늘 에 서

하

모 두 열 어 라

하

하

12

단비 내려와 땅을 적시 듯이 온

늘에서 단비 내려와 땅을 적시 듯이 온

늘에서 단비 내려와 땅을 적 — 시듯이 온

늘에서 단비 내려와 땅을 적 시 듯이 온

땅 위에내 린 하 — 늘의 축 복 흐 르

땅 위에내 린 하 — 늘의 축 복 흐 르

땅 위에내 린 하 늘의 축 복 흐 르

땅 위에내 린 하 늘의 축 복 흐 르

는 시 냇 물 높은산골 짜 기 바 람 불 어 와 — 기 다 림

14

온 땅아 열라
비 내리듯 이온 땅아 열라
비 내리듯 이온 땅아 열라
비 내리듯 이온 땅아 열라

하 늘 에 서
하 늘 에 서
하 늘 에 서 내 리 네
하 늘 에 서 내 리 네

아 — 주 를 맞 으

아 주 를 맞 으

라 주 를 맞 으

라 주 를 맞

라 — 모 두 반 으

라 — 모 두 반 으

라 — 모 두 반 으

라 — 모 두 반

dim.

라 — 저 하 늘 의 축

라 — 저 하 늘 의 축

라 — 저 하 늘 의 축

라 — 저 하 늘 의 축

복 —

복 —

복 —

복 —

목 자 들

Die Hirten

네

주 찬 — 양 하 라 축 복 의 주 님 영 원 토 록

주 찬 — 양 하 라 축 복 의 주 님 영 원 토 록

주 찬 — 양 하 라 축 복 의 주 님 영 원 토 록

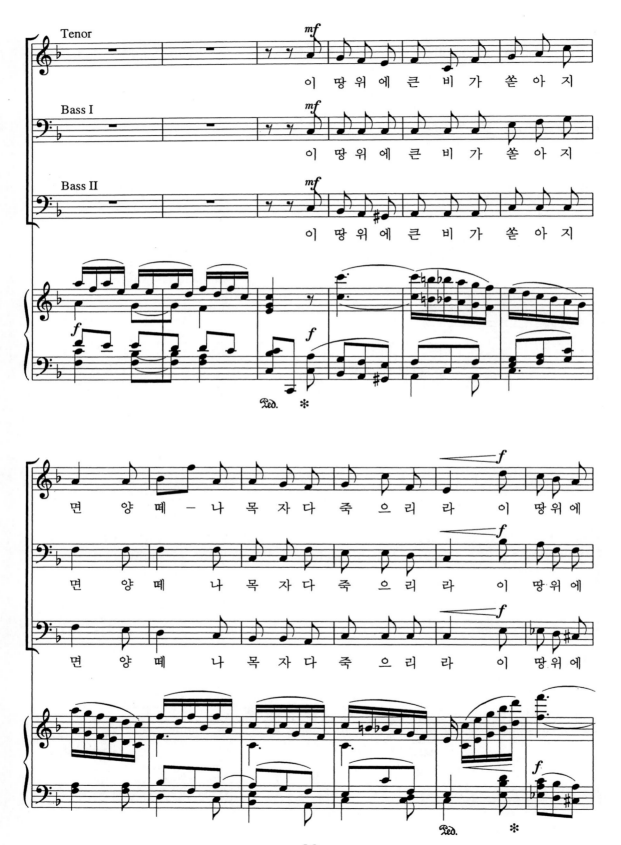

제여깨 어라잠—깨 어—라 내주의음성 항—상

—따르 라 —

항—상

항—상 —따르 라 — 항 상

따르 라 항 상

항—상 따르를지라

따르라

따르라 따르라

따르라

따르라

cresc.

Ped. *

p dolce

큰 축복을

큰 축복을

큰 축복을

큰 축복을

큰 축복을

Ped. * Ped.

33

구 주 라   낮

목 자 요   창 조 주 라   지 — 켜

목 자 요   창 조 주 라   지   켜

목 자 요   창 조 주 라   주 소 서

목 자 요   창 조 주 라   주 소 서

과 밤 을 모 두 다 — 스   리 시 니   늘 진 실 한 자 모 두 복

35

천사들이 나타남

Erscheinung des Engels

무서워말라 보라 내가모든백

성위하여 기쁜소식을 너희에

게 전하노라 오늘이날 다윗성

의 베들레헴에서 구주가 탄생하셨으니

야알 렐루−야 −알−렐루−야 높 − − 은 곳

야알 렐루 야 − −알 렐루 야 높 − − 은 곳

야알 렐루 야 −알 렐루 야 높 − − 은 곳

야알−렐루−야 − −알−−렐루−야 −높 − − 은 곳

에 하 나 님 께 영 − −광 − 이

에 하 나 님 께 영 − −광 − 이

에 하 나 님 께 영 − −광 − 이

하 나 님 께 영 − −광 − 이

41

베들레헴
Bethlehem

니 그 때에 목자들 이하늘을쳐다보—

고 그 소 식 들은후 모 두놀라워하더

라 그

후 에 목자 들 급히서둘러 떠 나

곳 에   어 머 니 와   그

아 기 를 보 았으 니   그 리 스 도 주 시 니

라   그 리스도 주시니 라

구유앞의 목자들
Die Hirten an der Krippe.

우 리 들의 기 다 린 소 망 말 씀 — 되
우 리 들의 기 다 린 소 망 말 — 씀 되
우 리 들의 기 다 린 소 망 말 씀 되
우 리 들의 기 다 린 소 망 — 말 씀
우 리 들의 기 다 린 소 망 말 씀 되
우 리 들의 기 다 린 망 말 — 씀 되

신 주 오 셨 다 주 님 오 셨 다
신 주 오 셨 다 주 님 오 셨 다
신 주 오 셨 다 주 님 오 셨 다
오 셨 — 도다 — 오 — — 셨 — 다 —
신 — 주 오 셨 다 주 오 — 셨 다
신 주 오 셨 도 다 주 오 — 셨 다

Ped.   * Ped.   * Ped.   * Ped.   * Ped.   *

54

절망의 가시를 꺾었다　하늘 향한 갈급

절망의 가시를 꺾었다　하늘 향한 갈급

절망의 가시를 꺾었다　하늘 향한 갈급

절망의 가시를 꺾었다　하늘 향한 갈ー급

절망의 가시를 꺾었다　하늘 향한 갈급

절망의 가시를 꺾었다　하늘 향한 갈급

함을 채우셨다　채우셨다

함을 채우셨다 채우 셨다

함을 채우셨다 채우 셨다

함을 채ー우 셨다ーー채우셨 다　이은

함을 채ー우셨 다 채우ー셨 다　이은

함을 채우셨다 채우 셨다　이은

주 맞 으 라   주 맞 으 라

주 맞 으 라   주 맞 으 라

주 맞 으 라   주 맞 으 라

주 맞 으 라   주 맞 으 라

주 맞 으 라   주 맞 으 라

주 맞 으 라   주 맞 으 라

60

한 별
Der Stern

검 은 구 름 이 몰 려 — 온 다　　바 람 분

검 은 구 름 이 몰 려 — 온 다　　바 람 분

검 은 구 름 이 몰 려 — 온 다　　바 람 분

검 은 구 름 이 몰 려 — 온 다　　바 람 분

다

다

다

다

저기동쪽사막에서 동방박사길떠난다

약 — 속 저 — 별 —

약 — 속 저 — 별 —

약 속 저 — 별 —

약 속 저 별

인 도 해 줌 이 라

인 도 해 줌 이 라

인 도 해 줌 이 라

인 도 해 — 줌 이 라

*Ped. *

66

어 저 동 방에서 왔다네

어 저 동 방에서 왔다네

어 저 동 방에서 왔다네

어 저 동 방에서 왔다네

저 예루살렘의 높은 산

저 예루살렘의 높은 산

저 예루살렘의 높은 산

저 예루살렘의 높은 산

시 온 성 에 이 르 러 서 유 대 의 왕
시 온 성 에 이 르 러 서 유 대 의 왕
시 온 성 에 이 르 러 서 유 대 의 왕
시 온 성 에 이 르 러 서 유 대 의 왕

찾 았 네 그 새 로 나 신 왕 의
찾 았 네 그 새 로 나 신 왕 의
찾 았 네 그 새 로 나 신 왕 의
찾 았 네

탄생하신 표라네 — —

탄생하신 표라네 — —

탄생하신 표라네 — —

탄생하신 표라네 — —

Listesso tempo *più modertato* *pp*

저 멀리서 달려 왔네 아

저 멀리서 달려 왔네 아

저 멀리서 왕께 경 배드리려

저 멀리서 왕께 경 배드리려

Listesso tempo

침 나 라 에 서 우 리 는 쉴 수 가 없 네 그

침 나 라 에 서 우 리 는 쉴 수 가 없 네 그

하 네 아 침 나 라 에 서 우 리 는 쉴 수 가

하 네 아 침 나 라 에 서 우 리 는 쉴 수 가

Ped. Ped. Ped. Ped.

아 기 볼 — 때 까 지

아 기 볼 — 때 까 지

없 네 만 나 볼 때 까 지

없 네 만 나 볼 때 까 지

dim. f

Ped. *

73

시 온 성을 지 나

시 온 성을 지 나

시 온 성을 지 나

시 온 성을 지 나

가 서 그 밝은 별 찾으 나 저

가 서 그 밝은 별 찾으 나 저

가 서 그 밝은 별 찾으 나 저

가 서 그 밝은 별 찾으 나 저

높 은 하 늘 에 는 별 이 별

높 은 하 늘 에 는 별 이 별

높 은 하 늘 에 는 별 이 별

높 은 하 늘 에 는 별 이 별

이 보 이 지 않 네

이 보 이 지 않 네

이 보 이 지 않 네

이 보 이 지 않 네

박 사들 슬 픔에 쌓 여 어 둠을

박 사들 슬 픔에 쌓 여 어 둠을

헤 쳐 가 며 — 인 내 로절 망 치

헤 쳐 가 며 — 인 내 로절 망 치

않 고 인 내 로절 망 치 않 고

않 고 인 내 로절 망 치 않 고

신 비 의 별 찾 아 가

신 비 의 별 찾 아 가

네 — —

네 — —

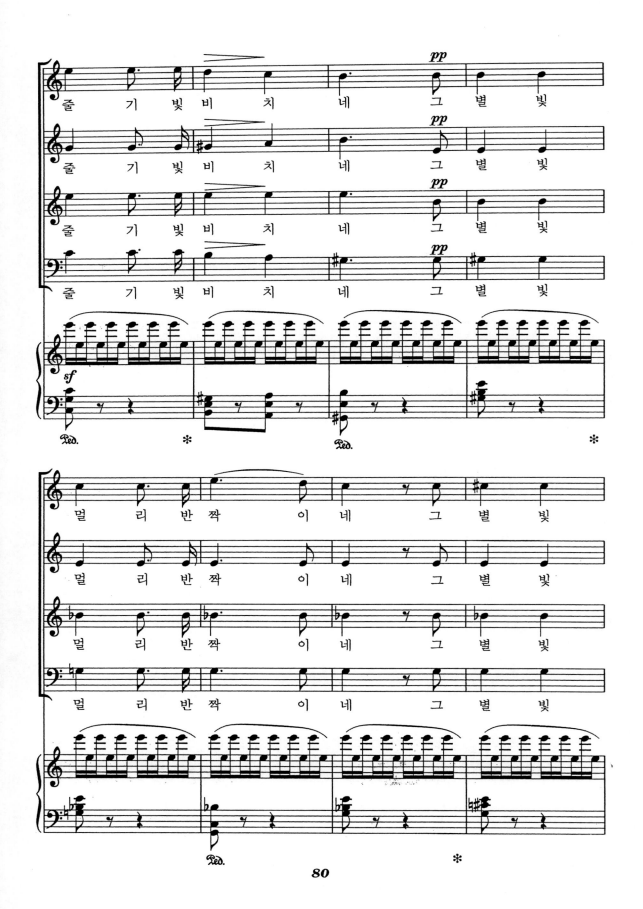

멀 리 반 짝 이 네 큰

멀 리 반 짝 이 네 큰 —

멀 리 반 짝 이 네 큰

멀 리 반 짝 이 네 큰

cresc.

L'istesso tempo

기 쁨 벅 차 오 르 네

기 쁨 벅 차 오 르 네

기 쁨 벅 차 오 르 네

기 — 쁨 벅 차 — 오 르 네

L'istesso tempo

81

별 별 별 별

빛 바라보며 간 다 황 홀 한 그 별
빛 바라보며 간 다 황 홀 한 그 별
빛 을 별 빛 바라보며 간 다 황
빛 을 별 빛 바라보며 간 다 황

신 곳 그 곳을 비 춘 - 다

- 별 밝 - 게 비 - 춘 다

신 곳 그 곳을 비 춘 다

신 곳 그 곳을 비 춘 다

동방박사의 경배

Anbetung der Weisen.

황 금 이 란 사

황 금 이 란 사

황 금 이 란 사

랑 이 라 정 성 껏 다 듬 어 — 정

랑 이 라 정 성 껏 다 듬 — 어 정

랑 이 라 정 성 껏 다 듬 어 정

94

이 시 여　　　　　정 성 받—아 주 소 서

이 시 여　　　　　정 성 받 아 주 소 서

이 시 여　　　　　정 성 받—아 주 소 서

마 리 아
Maria

Moderato ♩ = 72

Sop. Solo

모두 다 떠나간 뒤   그곳 에는 고요함

만 남았네   모 두 거 룩한꿈따라

서   하늘 이 기 뻐함보았 네

작은 불꽃 하나가 구유 앞에 타오르고 무릎 꿇은 어머니 조용히 기도 드리니 하나님 이 아기를 — 보내심을 믿더라

성 취
Erfüllung

고 요한 밤 — 빛 난 별들이 기다

고 요한 밤 빛 난 별들이 기다

고 요한 밤 빛 난 별들이 기다

고 요한 밤 빛 난 별들이 기다

리 도 다 저하늘—의 기쁜—소식을 —

리 도 다 저하늘 의 기쁜—소식을 —

리—도—다 저하늘—의 기쁜 소식을 —

리 도 다 저하늘 의 기쁜 소식을 —

별 감 싸 준 다

별 감 싸 준 다

별 감 싸 준 다

별 감 싸 준 다

Poco più allegro

기 뻐 하 라 ─ 죽 음 을 이 기 고그리스도

Poco più allegro

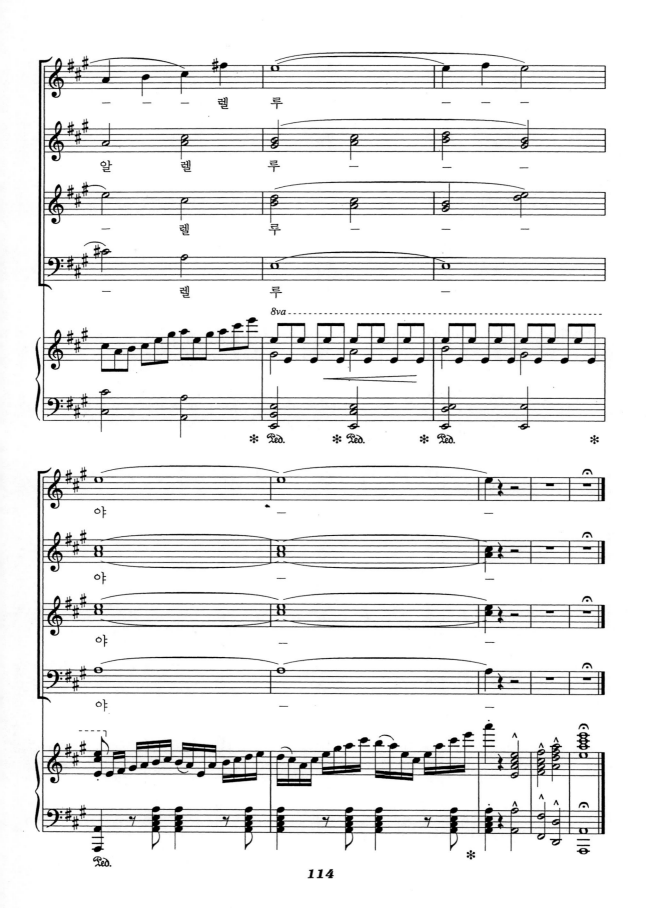

"Since 1971" Beyond Praise!

크리스마스칸타타

베들레헴의 별

Joseph Rheinberger

인 쇄 2022년 11월 13일
발 행 2022년 11월 13일
발행인 강하늘
저 자 Joseph Rheinberger
편 집 정서연
디자인 와이즈뮤직 편집부
발행처 와이즈뮤직
　　　　 서울시 노원구 초안산로 19, 302호
　　　　 Tel : 1800-9556(전국대표번호)
　　　　 출판등록 : 제25100-2017-000060호
　　　　 교회음악전문출판 와이즈뮤직
　　　　 www.wise21.com

정가 9,000원